Analyse

Par

Un sac de billes

de Joseph Joffo

Rendez-vous sur lepetitlitteraire.fr et découvrez :

Plus de 1200 analyses
Claires et synthétiques
Téléchargeables en 30 secondes
À imprimer chez soi

JOSEPH JOFFO

ÉCRIVAIN FRANÇAIS

- **Né en 1931 à Paris**
- **Quelques-unes de ses œuvres :**
  - *Anna et son orchestre* (1975), roman
  - *Baby-foot* (1977), roman
  - *Tendre été* (1981), roman

Né en 1931 à Paris, Joseph Joffo est un auteur français d'origine juive. Il a d'abord exercé le métier de coiffeur avant de se mettre à l'écriture pour exorciser les démons de son enfance, marquée par la Seconde Guerre mondiale (1939-1945) et la Shoah : de cette introspection nait *Un sac de billes* (1973), qui devient rapidement un bestseller mondial.

Son œuvre se compose dans sa grande majorité d'autobiographies. Il a également écrit quelques ouvrages de fiction comme *Anna et son orchestre* et *Le Cavalier de la terre promise* (1983), ou des nouvelles comme *Bashert* (2009).

Il est à noter que Joseph Joffo n'est pas tout à fait l'auteur de ces récits dans leur forme définitive – c'est-à-dire tels qu'ils sont publiés. En effet, il recourt à des nègres littéraires – auxiliaires qui composent ses ouvrages pour lui – afin de parfaire la rédaction d'intrigues dont il a rédigé une première version.

UN SAC DE BILLES

ITINÉRAIRE D'UN ENFANT JUIF PENDANT LA SECONDE GUERRE MONDIALE

- **Genre :** roman autobiographique
- **Édition de référence :** *Un sac de billes*, Paris, Le Livre de Poche, 2004, 256 p.
- **1re édition :** 1973
- **Thématiques :** enfance, antisémitisme, Occupation, Shoah, entraide, fraternité

Un sac de billes est une autobiographie de Joseph Joffo parue en 1973 et couvrant les années 1941-1944 de sa vie. Il s'agit de son œuvre la plus connue : elle a été vendue à plusieurs millions d'exemplaires et traduite en 18 langues.

L'auteur y raconte, de manière particulièrement vivante et dynamique, les péripéties qu'il a vécues avec son frère Maurice, afin d'échapper aux nazis sous le gouvernement de Vichy (1940-1944). Pendant ce voyage, des périodes heureuses et insouciantes alternent avec des moments plus délicats de danger et d'emprisonnement.

Ce récit est le premier d'une trilogie qui retrace l'enfance de Joseph Joffo. Les deux autres sont *Baby-foot*, qui raconte son adolescence dans l'après-guerre, et *Agates et Calots* (1997), dont le récit se déroule avant les évènements relatés dans *Un sac de billes*.

RÉSUMÉ

LE DANGER D'ÊTRE JUIF

Le récit commence en 1941, à Paris. Dans le quartier juif de Clignancourt, Maurice et Joseph Joffo jouent aux billes. Après une partie mouvementée, les deux frères rentrent chez eux, dans l'appartement situé juste au-dessus du salon de coiffure de leur père. Alors qu'ils se tiennent devant la vitrine du salon, cachant la mention « *Yiddish Geschäft* » (« établissement juif »), deux SS entrent pour se faire coiffer. Une fois leurs coupes achevées dans une atmosphère d'angoisse, tandis que les soldats s'apprêtent à partir, M. Joffo leur apprend qu'ils ont été coiffés par un Juif, au milieu d'une clientèle juive.

Peu après, le port de l'étoile jaune devient obligatoire : Maurice et Joseph s'en voient coudre une sur leur veston. Ce nouvel insigne ne passe pas inaperçu : à l'école, Joseph ressent la gêne de ses professeurs et subit, comme son frère, des insultes racistes et des coups durant les récréations. Néanmoins, le garçon parvient à échanger son étoile contre un sac de billes avec son copain Zérati.

Les discriminations sont de plus en plus dures envers les Juifs. Le père de Joseph annonce à ses deux fils qu'ils doivent tous deux quitter Paris pour passer en zone libre et rejoindre leurs frères, Albert et Henri, à Menton (Alpes-Maritimes), où ils seront en sécurité. Durant le trajet, ils devront être prudents et n'avouer en aucun cas qu'ils sont juifs. Leurs parents arriveront plus tard, par d'autres chemins.

LE PASSAGE EN ZONE LIBRE

Pourvus de musettes et de 10 000 francs, mais sans papiers, Maurice et Joseph se rendent à la gare d'Austerlitz, afin de prendre le train pour Dax (Landes). Le trajet est long et pénible, car le train est bondé, et les enfants souffrent de la faim. Arrivés à destination, les deux frères constatent avec effroi que deux SS s'apprêtent à contrôler leur wagon. Un voyageur, prêtre de son état, les prend sous sa protection, ce qui leur évite d'être arrêtés.

Maurice et Joseph parviennent au village d'Hagetmau (Landes). Après un maigre repas, il leur reste à peine de quoi payer leur passage en zone libre. Dépensant leurs derniers 1 000 francs, ils effectuent la traversée, aidés par un jeune passeur qui les guide jusqu'à une ferme. Là, ils peuvent dormir, grâce à la complicité du fermier, qui met sa grange à disposition des réfugiés.

Durant la nuit, Maurice, qui a repéré le chemin, s'improvise lui-même passeur et gagne ainsi de quoi subvenir à leurs besoins : 20 000 francs. Le lendemain, après des heures de marche, ils sont invités à monter dans une calèche qui les conduit à Aire-sur-Adour (Landes), d'où ils prennent le train pour Marseille.

Là-bas, les deux frères voient la mer pour la première fois et s'offrent une séance de cinéma, découvrant les images de la propagande nazie. Alors qu'ils s'apprêtent à poursuivre leur périple, ils échappent de justesse à deux policiers un peu trop attentifs : à la gare de Marseille, ces derniers interrogent Joseph qui, pour échapper à leur vigilance, fait passer un inconnu pour son père. Ainsi, les deux jeunes garçons s'en sortent grâce à leur ruse et à leur débrouillardise.

L'ARRIVÉE À MENTON

Ils retrouvent finalement leurs frères Albert et Henri sous le soleil de Menton. Ces derniers ont réussi à s'installer dans le village en tant que coiffeurs. Pendant quelques jours, les enfants profitent du beau temps, de la plage, d'activités comme le football et des nouveaux amis. Mais, bien vite, ils décident de chercher du travail pour aider leurs frères à subvenir à leurs besoins. Maurice est engagé dans une boulangerie, tandis que Joseph aide le fermier Viale dans des pâturages de montagne et tient compagnie à sa femme, une ancienne aristocrate passionnée de musique, de livres et d'échecs.

Un jour, alors qu'il redescend vers Menton, Joseph apprend qu'une lettre de ses parents est arrivée : ces derniers ont été pris dans une rafle et sont emprisonnés au stade de Pau (Pyrénées-Atlantiques). Tandis qu'Henri part pour tenter de les libérer, les deux frères, à la demande de leur père, sont scolarisés. Une semaine plus tard, Henri revient avec de bonnes nouvelles : il a réussi à les faire libérer, et ils se sont installés à Nice. Mais la joie est de courte durée : Albert et Henri sont réquisitionnés pour travailler en Allemagne, ce qui oblige la fratrie à fuir pour Nice.

LA FUITE VERS NICE

À Nice, enfants et parents sont enfin réunis sous le même

toit. Maurice et Joseph se montrent particulièrement débrouillards et sont appréciés de la plupart des soldats italiens présents dans la ville. Parallèlement à leur activité d'écoliers, ils participent au marché noir et gagnent des sommes rondelettes grâce à leurs combines. Mais, bien vite, suite à la capitulation de l'Italie (1943), qui passe du côté des Alliés, les soldats italiens quittent la France pour le front et sont remplacés par les Allemands. La situation oblige la famille Joffo à se séparer une fois encore. Les deux frères repartent sur les routes.

Sur les conseils de leur père, Maurice et Joseph se rendent à Moisson nouvelle, un camp d'éducation subventionné par le gouvernement de Vichy qui s'avère être en réalité un abri pour enfants juifs. Là, ils s'initient à la cuisine et mènent une vie tranquille. Néanmoins, lors d'une virée à Nice avec le chauffeur du camp, ils sont arrêtés par la Gestapo et emmenés à l'hôtel Excelsior, le quartier général des SS.

Les deux frères sont interrogés plusieurs fois, séparément, mais une ruse imaginée longtemps auparavant leur permet de ne pas se trahir : ils se font passer pour des Français catholiques d'Algérie. Ils profitent également de la complicité inattendue d'un médecin, qui fait passer leur circoncision pour une opération chirurgicale. Dans l'attente de leur jugement, ils sont emprisonnés dans l'hôtel ; sept jours pendant lesquels Joseph tombe malade et délire.

Entretemps, le chef des lieux a été remplacé, et le nouveau responsable leur a posé un ultimatum : ils doivent produire des certificats de baptême dans les deux jours, faute de quoi ils seront déportés. Maurice arrive à obtenir les documents d'un curé dont les efforts acharnés permettront de les libérer.

De retour à Moisson nouvelle, les deux frères apprennent que leur père a été pris dans une rafle. Malheureusement, ils n'auront plus jamais de nouvelles de lui. Se sentant en danger, ils trouvent d'abord refuge à Montluçon (Allier) chez Rosette, une de leurs sœurs. Mais cette dernière, par peur d'un dénonciateur qui sévit dans le hameau, les envoie au village de R. [Rumilly], en Haute-Savoie.

LA FIN DE LA GUERRE ET LA LIBÉRATION

Maurice et Joseph passent les années 1943 et 1944 au village de R. Joseph y est livreur de journaux et libraire chez M. Mancelier, antisémite et pétainiste convaincu. Il rend aussi quelques services à la résistance locale. Maurice, quant à lui, travaille dans un restaurant. Pour mettre du beurre dans les épinards, ils falsifient des tickets de rationnement. Quelque temps plus tard, la ville de Paris est libérée, et les Allemands quittent la France. Tandis que le village de R. est transporté par l'euphorie de la Libération, Joseph profite de cette occasion pour rentrer dans la capitale. Son frère le suivra bientôt, non sans récolter les fruits d'une ultime combine : il rapporte à Paris de précieux reblochons pour les vendre.

Au terme de toutes ces péripéties, Joseph est passé du statut d'enfant à celui d'adulte. Dans la Ville Lumière, la famille Joffo s'est reformée dans le salon de coiffure de Clignancourt : seul manque le père, qui n'a pas survécu à la déportation.

ÉTUDE DES PERSONNAGES

JOSEPH JOFFO

Il est à la fois l'auteur, le narrateur et le personnage principal de cette autobiographie.

À l'époque des faits, en 1941, il n'est qu'un petit garçon juif de dix ans, bon élève à l'école, mais exécrable joueur de billes. Il possède une certaine curiosité intellectuelle qui, au cours de ses pérégrinations, le pousse à dévorer les rares livres qui lui tombent sous la main.

Le petit Joffo peine à s'adapter à son nouveau statut de nomade. Ainsi, durant la première partie du périple vers Menton, il s'en remet entièrement au bon sens de son grand frère, s'abandonnant à ses décisions et se contentant de le suivre.

Cependant, la fuite perpétuelle qu'il entame à travers la France et l'Italie se transforme peu à peu en un voyage initiatique, qui transmue son caractère enfantin et naïf. En effet, il s'endurcit, tant physiquement (« Je peux marcher plus longtemps à présent, je n'ai plus d'ampoules. La plante de mes pieds, la peau de mes talons a dû durcir », p. 198) que psychologiquement (« Je me demande si je suis encore un enfant [...] il me semble que les osselets ne me tenteraient plus, les billes non plus d'ailleurs [...]. Pourtant, ce sont des choses de mon âge, après tout, je n'ai pas tout à fait douze ans, cela devrait me faire envie... eh bien non », p. 198-199).

Joseph tire profit de la sympathie naturelle qu'éprouvent les gens à son égard (pensons par exemple au traitement de faveur dont il jouit dans le bar de Tite, à Nice). Parallèlement, il développe au fil de l'histoire une intelligence pratique qui lui permet de se sortir de quelques faux pas (par exemple, il arrive à échapper aux deux policiers de la gare de Marseille en demandant l'heure à un passant qu'il fait passer pour son père).

Ces qualités, conjuguées à un brin de chance, contribuent à sauver Joseph Joffo de l'oppression nazie, et à le ramener sain et sauf dans la capitale française libérée.

MAURICE JOFFO

De deux ans plus âgé que Joseph, dont il est le grand frère, Maurice Joffo est un garçon impulsif, bagarreur, rusé et courageux. Dans *Un sac de billes*, il s'impose vite comme le protecteur de Joseph durant leur périple.

En effet, jusqu'à leur arrivée à Menton, c'est Maurice qui se charge d'éviter les écueils pour qu'ils parviennent tous deux à bon port : on le voit ainsi récolter des sommes astronomiques en se transformant en passeur, canaliser les idées subites de Joseph ou encore s'occuper de lui en le réveillant dans les trains. C'est également lui qui élabore la fausse histoire de leurs origines algériennes et qui procure aux SS de Nice les certificats de baptême qui leur permettent d'être libérés de l'hôtel Excelsior.

Maurice se distingue aussi par sa polyvalence et sa faculté d'entreprendre : ainsi, il endosse tour à tour les métiers de passeur, de boulanger ou encore de restaurateur. Il est, de plus, à l'origine des marchandages fructueux que mettent en place les deux frères. Grand frère protecteur, adolescent vif et intelligent, Maurice reste auprès de Joseph durant tout le récit, partageant ses épreuves et ses peines, tout en lui apportant un soutien sans faille.

Il rentre à Paris peu après son petit frère, lui aussi éprouvé par ces trois années de fuite.

HENRI ET ALBERT JOFFO

Henri et Albert sont les deux grands frères de la famille Joffo. Coiffeurs comme leur père, ils travaillent au salon familial de la rue Clignancourt avant de s'installer en zone libre, à Menton, pour échapper aux persécutions dirigées contre les Juifs.

Débrouillards et sociables, d'un naturel joyeux, les deux frères semblent s'adapter facilement aux différents changements de vie que leur impose la guerre : à Menton, ils travaillent dans un salon de coiffure et sont très vite connus et appréciés de tous ; à Nice, ils coiffent à domicile une clientèle huppée (« le "Tout-Nice" serait déshonoré s'il ne passait pas entre les mains des frères Joffo ! », p. 118).

Audacieux et courageux, Henri et Albert vivent selon le principe « qu'il y a toujours quelque chose à tenter » (p. 99), même dans les situations les plus désespérées. Ainsi, apprenant que leurs parents ont été arrêtés par la Gestapo, ils n'hésitent pas à tenter le tout pour le tout pour les faire libérer : Henri part à Paris pour négocier avec la Gestapo et parvient contre toute attente à convaincre l'administration nazie qu'elle a fait une erreur. Grâce à son audace, les parents sont libérés une semaine plus tard, et Henri rentre sain et sauf à Menton.

Les deux frères parviendront à traverser la guerre sans dommage, grâce à leur réactivité et à leur débrouillardise. Après la Libération, ils retrouvent Paris et reprennent le salon de coiffure de leur père.

LES PARENTS

Les parents de Joseph sont d'origine russe. Tous deux de famille juive, ils ont dû fuir leur pays pour échapper aux pogromes – persécutions de la communauté juive dans l'Empire russe – et sont alors arrivés en France, où ils se sont rencontrés et ont fondé une famille.

Ayant déjà subi des persécutions dans leur jeunesse, ils sont conscients des dangers qu'ils encourent sous le régime de Vichy et réagissent très vite. Leur priorité est de protéger leurs enfants ; c'est pourquoi ils font le choix douloureux de les envoyer seuls en zone libre. Ils parviennent ainsi à sauver leur famille, mais sont eux-mêmes arrêtés une première fois, lors d'une rafle à Pau. Ils sont finalement libérés, grâce à l'audace d'Henri, mais aussi grâce aux faux papiers de la mère, qui la font passer pour une descendante de la famille Romanov (dynastie qui régna sur la Russie jusqu'en 1917).

Le père de Joseph n'aura pas la même chance lors de sa seconde arrestation, à la suite de laquelle il sera envoyé en camp de concentration. Il n'en reviendra pas : « Finalement,

Hitler [homme d'État allemand, 1889-1945] aura été plus cruel que le tsar » (p. 229), commente l'auteur.

CLÉS DE LECTURE

QUELQUES REPÈRES HISTORIQUES

Dans *Un sac de billes*, de nombreuses allusions à l'Histoire sont introduites, que ce soit dans les descriptions ou dans les dialogues. Si elles ne sont pas toujours essentielles pour comprendre le récit, elles permettent néanmoins de saisir toute l'intensité dramatique de l'intrigue et de son cadre. Voici donc le rappel de quelques moments-clés pour mieux comprendre le conflit et la persécution dont les Juifs ont été victimes.

L'avènement d'Hitler et l'idéologie de la supériorité de la race germanique

En 1934, l'Allemagne, qui subit les lourdes conséquences de sa défaite lors de la Première Guerre mondiale (1914-1918), ainsi que celles de la crise économique de 1929, vit des temps difficiles. C'est dans ce contexte de crise qu'Adolf Hitler, après une tentative de coup d'État ratée, est élu chancelier. Très vite, il façonne un régime autoritaire, soutenu par l'idéologie nazie : cette dernière affirme la suprématie de la « race germanique » sur toutes les autres et accuse les Juifs de tous les maux de la société.

L'objectif d'Hitler est alors de créer un grand empire libéré de tous ceux qui pourraient, selon lui, débiliter la nation allemande : les handicapés physiques et mentaux, les homosexuels, les tziganes et les Juifs. Pour ce faire, il met en place une police secrète, la Gestapo, chargée d'éliminer les opposants au régime, ainsi qu'un organisme principalement chargé d'organiser la déportation et l'extermination des Juifs : les SS (dont on a un aperçu de la cruauté, lorsque les Joffo sont détenus à l'hôtel Excelsior). Des camps d'extermination sont créés, dans lesquels sont envoyées des millions de victimes au cours de la Seconde Guerre mondiale.

La capitulation de la France et la mise en place du gouvernement de Vichy

Afin de concrétiser ses ambitions, l'Allemagne déclenche la Seconde Guerre mondiale en 1939 en envahissant l'Autriche, la Pologne, puis la Tchécoslovaquie. Un an plus tard, la France est battue et capitule. Le gouvernement de Vichy est mis en place, avec à sa tête Philippe Pétain (1856-1951), général français, célèbre pour avoir joué un rôle décisif dans la victoire française en 1918. La France est alors divisée en deux par une ligne de démarcation : la zone libre, au sud, et la partie du pays occupée par les troupes allemandes, au nord. C'est la raison pour laquelle la famille Joffo décide de quitter Paris pour le Sud de la France : ils souhaitent passer en zone libre pour éviter les persécutions dont ils font l'objet depuis l'Occupation (1940-1944).

Le régime de Vichy se caractérise par une collaboration totale avec les Allemands, ce qui se traduit notamment par un envoi massif de Juifs dans les camps de concentration, et par le départ en Allemagne de jeunes Français pour le STO (service du travail obligatoire) : dans *Un sac de billes*, Albert et Henri sont eux-mêmes réquisitionnés, mais choisissent de fuir à Nice.

Le peuple français réagit principalement de deux manières

– toutes deux illustrées par Joffo dans son livre – face à ce nouveau pouvoir : certains choisissent la collaboration (c'est le cas dans de M. Mancelier, le libraire de R., grand admirateur du maréchal Pétain et fervent antisémite) ; d'autres embrassent la Résistance, qu'elle soit active (comme le personnage de M. Jean, résistant de R., le prêtre de la Buffa – quartier niçois –, ou encore Subinagui, le directeur de Moisson nouvelle) ou passive (comme les Viale, qui accueillent Joseph dans leur ferme retirée dans la montagne mentonnaise).

La stigmatisation des Juifs : l'étoile jaune et les rafles

En 1942, le régime nazi instaure le port de l'étoile juive en Allemagne ; le gouvernement de Vichy installe un système similaire en France. Il s'agit d'une pièce de textile jaune en forme d'étoile que les Juifs étaient tenus de coudre sur leurs habits. Cette dernière permettait de les identifier et, ainsi, d'appliquer les restrictions décidées à leur égard : entre autres, l'interdiction de pratiquer certains métiers, le rationnement des vivres et l'exclusion des écoles.

C'est cette nouvelle obligation qui décide le père de Joseph à envoyer ses enfants dans la zone libre. Ainsi déclare-t-il à ses deux fils : « Vous avez vu que les Allemands sont de plus en plus durs avec nous. Il y a eu le recensement, l'avis sur les boutiques, les descentes dans le magasin, aujourd'hui l'étoile jaune, demain nous serons arrêtés. Alors il faut fuir. » (p. 32-33)

Ces paroles du père à ses enfants s'avèrent exactes, car le gouvernement de Vichy, très vite, organise des convois en direction des camps de la mort. Et pour capturer des Juifs, la police – qu'elle soit allemande ou française – organise le plus souvent des rafles : il s'agissait d'opérations de plus ou moins grande envergure visant à arrêter des personnes habitant dans un quartier ou un lieu donné. Une fois toutes les identités contrôlées, on renvoyait les individus en règle et on emprisonnait les Juifs ou d'éventuels suspects. C'est d'ailleurs à la suite de l'une de ces rafles que le père de Joseph est déporté dans un camp dont il ne reviendra pas.

Les Juifs peuvent également être incarcérés sur simple dénonciation. C'est pourquoi Rosette, la sœur de Joseph et Maurice, ne peut pas recueillir ses jeunes frères chez elle : « Il y a un dénonciateur dans le village », leur confie-t-elle avec angoisse (p. 194).

UN ROMAN AUTOBIOGRAPHIQUE

Le pacte autobiographique

Un sac de billes est un roman autobiographique, c'est-à-dire un récit dans lequel l'auteur, le narrateur et le personnage principal ne font qu'un. Écrit à la première personne et du point de vue interne, il laisse une large place au déploiement de la subjectivité, puisque le personnage y conte ses propres expériences. Ici, Joseph Joffo livre en effet ses « souvenirs d'enfant de 10 ans » (p. 7) et nous « racont[e] [s]on aventure des temps de l'Occupation » (*ibid.*).

En outre, dans toute œuvre autobiographique, il faut considérer qu'un pacte de lecture est établi entre le lecteur et l'auteur-narrateur (LEJEUNE P., *Le Pacte autobiographique*,

Paris, Seuil, 1975). Il implique, de la part de l'écrivain, un devoir de sincérité et de vérité. Or Joseph Joffo scelle ce contrat avec le lecteur dès le prologue de son roman, où il affirme l'« authenticité » (p. 7) de son récit, néanmoins infléchi par les « trente ans [qui] ont passé [:] la mémoire comme l'oubli peuvent métamorphoser d'infimes détails » (*ibid.*), précise-t-il.

Le devoir de mémoire

L'authenticité des faits racontés explique qu'on ait souvent rangé ce récit dans la catégorie des témoignages sur la Seconde Guerre mondiale, bien que l'auteur affirme dans son préambule qu'*Un sac de billes* « n'est pas l'œuvre d'un historien » (*ibid.*). Mais quel est dès lors son projet ?

Dans la postface qu'il a ajoutée en 1998 à son livre, Joseph Joffo justifie l'écart temporel qui sépare les évènements relatés de leur mise sur papier. C'est que, comme beaucoup d'écrivains ayant raconté leur expérience du conflit, il n'avait au départ aucune intention de décrire son vécu. Ce sont seulement le passage du temps et la persistance vivace des traumatismes subis 30 ans plus tôt qui l'ont poussé à en faire le récit et à tenter de les exorciser.

Surtout, le dessein de cette entreprise autobiographique repose sur ce qu'il convient d'appeler le devoir de mémoire. Père de trois enfants au moment où il écrit, Joseph Joffo ne « souhaite [qu'] une chose : que jamais [ces derniers] ne ressente[nt] le temps de la souffrance et de la peur comme [il] l'a [...] connu durant ces années » (p. 8). Il a pour espoir que « ces choses-là ne se reprodui[sent] plus jamais » (*ibid.*).

Et c'est donc dans cette perspective qu'il inscrit son projet d'écriture : car s'il conclut son roman par les mots « Peut-être... » (p. 231), qui en disent long sur l'enjeu de son texte et sur sa gravité, il veut avant tout transmettre son histoire aux générations suivantes pour faire en sorte qu'on n'oublie ni ne répète les atrocités qui ont été commises.

Un hommage aux « Justes »

Dans *Un sac de billes*, Joseph Joffo n'honore pas seulement la mémoire de ses pairs et proches. En fait, il dresse tout au long de son ouvrage le portrait de personnes auxquelles la postérité a donné le nom de « Justes de France ». Il s'agit d'hommes et de femmes qui, parfois au péril de leur vie, ont aidé des Juifs à échapper à la traque menée par les nazis et le régime de Vichy.

Ainsi, il rend notamment hommage au clergé de France, dont il considère que l'action secrète, mais efficace, a été un frein considérable aux déportations, mais aussi à des anonymes ou à des résistants qu'il a croisés, parmi lesquels :

- le curé qui prend les enfants sous son aile dans le train qui les amène à Dax, leur évitant d'être arrêtés par les SS qui contrôlent l'identité des passagers ;
- le prêtre de la Buffa de Nice qui, au péril de sa vie, fournit à la Gestapo de faux certificats de baptême et un faux témoignage pour faire libérer les deux frères ;
- Subinagui, le directeur de Moisson nouvelle, qui accueille secrètement dans son camp pétainiste de nombreux enfants juifs.

En définitive, dans *Un sac de billes*, Joseph Joffo livre son témoignage : il raconte ses souvenirs, ancrés dans le contexte tragique de l'Occupation. Ce procédé lui permet de rappeler une période sombre de notre histoire, mais aussi de rendre hommage aux victimes de la guerre. Le roman peut aussi être lu comme un hommage aux Justes et à la Résistance, et en particulier aux hommes et aux femmes qui les ont aidés, lui et son frère, à survivre au conflit.

LA GUERRE VUE ET VÉCUE PAR UN ENFANT

Un sac de billes restitue les souvenirs du petit Joseph : l'auteur raconte son parcours tel qu'il l'a vécu, en tant qu'enfant. Ainsi, le récit et les péripéties sont-ils marqués par un point de vue enfantin, ce qui fait quelque peu la singularité de ce récit.

Les *topos* de l'enfance

Malgré le contexte de la guerre, le roman est en effet parsemé de nombreux éléments typiques des souvenirs d'enfance :

- l'auteur raconte les joies des jeux de l'enfance. Ainsi, le récit commence-t-il avec l'évocation des parties de billes disputées dans la cour de récréation par les deux frères. Le contraste entre l'horreur de la guerre et la légèreté des plaisirs enfantins est d'ailleurs mis en valeur dès le titre, qui nous renvoie à l'échange insolite de l'infamante étoile jaune de Joseph contre le sac de billes de son ami Zérati. Par la suite, l'auteur raconte également les parties de football disputées gaiement sur la plage de Menton, l'émerveillement de sa découverte du cinéma, la joie des baignades, les parties d'osselets ;

- Joseph Joffo évoque aussi ses amitiés d'enfance et des souvenirs d'école, bien que la scolarité des frères soit souvent interrompue : il évoque par exemple la « rentrée des classes » (p. 119), les « problèmes de géométrie » (p. 120), les « copains de classe » (p. 127), les cours et « la distribution de prix » (*ibid.*). Il raconte aussi ses bagarres avec Maurice, son amitié avec Virgilio à Menton, ou encore sa complicité avec Ange à Moisson nouvelle ;

- il se souvient également de son premier amour, Françoise Mancelier, âgée de 14 ans, alors que lui n'en avait que 12. Cet amour impossible pour la fille du libraire pétainiste qui loge Joseph à R. vient compléter la peinture de l'enfance de l'auteur, qui écrit d'ailleurs : « Si pendant ce temps de fuite, je n'avais pas eu mon histoire d'amour, il aurait manqué quelque chose au tableau. » (p. 202)

La guerre perçue comme un jeu

Si Joseph souffre énormément de la guerre, qui l'a séparé de sa famille et représente un danger permanent pour lui et les siens, il envisage souvent la situation comme un jeu. Ainsi, dans cette épreuve, l'art de la débrouille est-il abordé de façon ludique par l'enfant, qui tire paradoxalement de l'oppression de sa famille par les nazis un certain sentiment de liberté : « Gagner notre vie à notre âge était devenu un jeu suprême, plus intéressant au fond que nos parties de ballon sur la plage ou que nos vagabondages dans les villas désertées. » (p. 92)

Par ailleurs, Joseph vit, durant ces trois terribles années, des moments d'insouciance enfantine. Ainsi lors de leur étape à Marseille, au cours de leur première fuite, les deux frères vivent-ils la « journée [comme] une grande fête rieuse, venteuse, [leur] plus belle promenade » (p. 74). De la même façon, Joseph qualifie les jours passés à Menton d'« admirables » (p. 90) et compare son séjour à Nice à des vacances : « S'il n'y avait pas la cérémonie de Radio-Londres, chaque soir, j'aurais l'impression de passer d'excellentes vacances sur la côte. » (p. 118)

Ainsi, malgré le contexte terrible dans lequel s'inscrit le roman, Joseph Joffo parvient à retranscrire des souvenirs teintés d'insouciance et marqués par un point de vue enfantin qui tranche avec le *pathos* souvent associé aux récits liés à la guerre et à l'Occupation.

Un roman initiatique

Un sac de billes peut encore être interprété comme un roman initiatique, c'est-à-dire une œuvre qui présente l'évolution et le développement moral, psychologique et intellectuel d'un personnage qui triomphe d'une série d'obstacles, souvent aidé par des tiers, pour accomplir une quête et accéder au bonheur.

De fait, Joseph Joffo raconte ici « l'histoire de deux petits enfants dans un univers de cruauté, d'absurdité et aussi de secours parfois les plus inattendus » (p. 7). Au fil d'un parcours semé d'embuches, le lecteur les voit évoluer et grandir tout au long du récit. Leur quête, inscrite dans le contexte de la Seconde Guerre mondiale, est celle de la survie : il leur faut rester vivants jusqu'à la fin de la guerre.

Progressivement, l'enfant grandit, s'endurcit et perd sa candeur enfantine. Il fait d'ailleurs, à la fin du roman, le constat que la guerre lui a volé son enfance : « Ils ne m'ont pas pris ma vie, ils ont fait pire, ils me volent mon enfance, ils ont tué en moi l'enfant que je pouvais être… » (p. 199) L'histoire s'achève en même temps que l'enfance de Joseph, qui, de retour chez lui, aperçoit son reflet dans la vitrine du salon de coiffure de sa famille et constate : « C'est vrai, j'ai grandi. » (p. 229) Ce sont les derniers mots du récit, avant l'épilogue.

UN RÉCIT ENTRE ESPOIR ET PEUR

En livrant son témoignage, l'auteur n'entend pas produire une énième critique du régime d'Hitler ; il se concentre sur le récit de son expérience, décrit la dimension tragique de son histoire, tout en laissant percer, en filigrane, un message d'espérance. Dès lors, au-delà de son caractère véridique, la narration est ici caractérisée par une certaine structure reposant sur un enchainement de périodes calmes et de moments plus tragiques, qui reflète les deux thèmes autour desquels Joseph Joffo a axé son histoire : la peur et l'espoir.

La peur

Lorsque les deux frères quittent Paris, ils sont amenés à évoluer dans un climat où la peur est omniprésente. Il s'agit d'abord de leur propre peur, intimement mêlée à celle de l'inconnu, du lendemain, à cette terreur de ne pas savoir où on va ni ce qui arrivera : « Je sens une impression curieuse dans mon ventre, comme si mes intestins devenaient soudain indépendants et voulaient sortir de leur sac de peau. » (p. 43) Il y a également la peur inhérente à la traque antisémite dont ils sont victimes : cette crainte trouve sa manifestation la plus claire au cours de leur arrestation violente à Nice : « Mon frère non plus n'a pas tout à fait le même visage que tout à l'heure, peut-être ne retrouverons-nous jamais nos visages d'autrefois », commente le narrateur (p. 151).

Très vite, pour tenter de la combattre, Maurice et Joseph décident de vivre au jour le jour et d'improviser si cela vient à mal tourner. Au fil du temps, Joseph, désenchanté et fatigué de fuir, en vient presque à oublier la peur, effacée par les désillusions de l'enfance et les horreurs dont il a été témoin : « Je ne tiens au fond peut-être plus guère à la vie, seulement la machine est lancée, le jeu continue [...] je ferai tout pour qu'ils n'aient pas le plaisir de m'avoir » (p. 199), écrit-il. La peur s'estompe avec la désespérance...

L'espoir

Mais entre ces instants dramatiques, Joseph Joffo prend la peine de mettre en évidence des moments plus doux, que l'on pourrait considérer comme des accalmies. Ces dernières sont l'occasion pour l'écrivain de peindre un quotidien moins sombre, presque normal et sympathique, où les deux enfants parviennent à grandir et à s'épanouir. Et comme pour encore mieux insister encore sur le caractère tranquille et merveilleux de ces trêves, Joseph Joffo les dépeint toujours dans des lieux ensoleillés (Marseille ; Menton, ville qualifiée de « paradis », etc.) qui, souvent, sont aussi le cadre de découvertes bouleversantes (le cinéma à Marseille, la vie montagnarde à Menton).

Par ailleurs, le récit est tendu vers l'espoir de la fin de la guerre et des retrouvailles de la famille, formulé avant le départ des deux frères pour la zone libre : « Nous nous séparions, mais il était évident que nous nous retrouverions après la guerre qui ne durerait pas toujours. » (p. 33)

Le bonheur de la Libération

L'espoir est finalement récompensé. Le récit s'achève sur la fin de la guerre : après trois ans de course contre la mort, Joseph, incrédule, voit son cauchemar prendre fin : « C'était fini, j'étais libre, on ne chercherait plus à me tuer, je pourrais rentrer chez moi, prendre des trains, marcher dans les rues, tirer des sonnettes, rire. » (p. 218)

Joseph Joffo raconte la Libération, la liesse générale, l'intense soulagement, mais aussi les représailles infligées aux collaborationnistes. Pour lui, « fou de joie » (p. 219), plus rien n'a d'importance que de retrouver les siens et de renouer avec sa vie d'avant-guerre. Aux résistants de R. qui souhaitent qu'il reste dans le village pour s'occuper de la distribution des journaux et de la circulation des informations, il répond : « Ça fait trois ans que j'ai quitté ma maison, qu'on est tous séparés, [...] je rentre et vous ne m'en empêcherez pas. » (p. 223)

Ainsi, le petit Joseph retourne-t-il chez lui et retrouve-t-il son quartier, le salon de coiffure des Joffo, Albert, Henri, sa mère... Son soulagement et sa joie sont toutefois entachés par l'absence d'un père qui n'aura pas échappé à la mort : « J'ai vu aussi que papa n'était plus là, j'ai compris qu'il n'y serait jamais plus... » (p. 229) La famille Joffo, meurtrie et marquée à jamais par la guerre, peut recommencer à vivre...

PISTES DE RÉFLEXION

QUELQUES QUESTIONS POUR APPROFONDIR SA RÉFLEXION...

- Dans quelle mesure l'auteur fait-il œuvre d'utilité publique en écrivant ce roman autobiographique ?
- En quoi peut-on dire que l'écriture de ce livre répond pour Joseph Joffo à une démarche thérapeutique ?
- Quelle place l'auteur accorde-t-il dans son livre à l'Histoire, par rapport à son propre vécu ?
- Dans quelle mesure Joseph et son frère sont-ils, selon vous, victimes de l'oppression nazie bien qu'ils n'aient pas été déportés dans un camp ?
- En quoi le périple de Joseph à travers la France et l'Italie constitue-t-il un voyage initiatique ?
- Comment le récit met-il en évidence l'absurdité de l'antisémitisme ?
- Comparez cet ouvrage avec *Tanguy* (1957) de Michel del Castillo (écrivain hispano-français, né en 1933), un roman en partie autobiographique, où l'auteur raconte lui aussi son enfance marquée par la guerre. Quels sont les différences et les points communs entre les deux œuvres ?
- Ce livre a fait l'objet de deux adaptations cinématographiques. À votre avis, quelle œuvre, du livre ou des films, est la plus parlante ? Justifiez.
- Pensez-vous que tous les témoignages sur la Seconde Guerre mondiale ou sur la Shoah puissent être adaptés au cinéma ? Référez-vous notamment à *L'Espèce humaine* (1947) de Robert Antelme (écrivain français, 1917-1990) ou

à *Si c'est un homme* (1947) de Primo Levi (écrivain italien, 1919-1987). Justifiez votre avis.

- Dans quelle mesure peut-on qualifier *Un sac de billes* de roman optimiste ?

Votre avis nous intéresse !
Laissez un commentaire sur le site de votre librairie en ligne
et partagez vos coups de cœur sur les réseaux sociaux !

POUR ALLER PLUS LOIN

ÉDITION DE RÉFÉRENCE

- Joffo J., *Un sac de billes*, Paris, Le Livre de Poche, 2004.

ÉTUDE DE RÉFÉRENCES

- Le Groignec J., *L'Étoile jaune : la double ignominie*, Paris, Nouvelles éditions latines, 2003.
- Lejeune P., *Le Pacte autobiographique*, Paris, Seuil, 1975.
- Pirenne J., *Histoire de l'Europe*, t. IV, Bruxelles, La Renaissance du livre, 1962.

ADAPTATIONS

- *Un sac de billes*, film de Jacques Doillon, avec Paul-Éric Schulmann, Richard Constantini et Joseph Goldenberg, France, 1975.
- *Un sac de billes*, film de Christian Duguay, avec Dorian Le Clech, Batyste Fleurial Palmieri et Patrick Bruel, France et Canada, 2017.

SUR LEPETITLITTÉRAIRE.FR

- Questionnaire de lecture sur *Un sac de billes* de Joseph Joffo.

Retrouvez notre offre complète sur lePetitLittéraire.fr

- des fiches de lectures
- des commentaires littéraires
- des questionnaires de lecture
- des résumés

ANOUILH
- Antigone

AUSTEN
- Orgueil et Préjugés

BALZAC
- Eugénie Grandet
- Le Père Goriot
- Illusions perdues

BARJAVEL
- La Nuit des temps

BEAUMARCHAIS
- Le Mariage de Figaro

BECKETT
- En attendant Godot

BRETON
- Nadja

CAMUS
- La Peste
- Les Justes
- L'Étranger

CARRÈRE
- Limonov

CÉLINE
- Voyage au bout de la nuit

CERVANTÈS
- Don Quichotte de la Manche

CHATEAUBRIAND
- Mémoires d'outre-tombe

CHODERLOS DE LACLOS
- Les Liaisons dangereuses

CHRÉTIEN DE TROYES
- Yvain ou le Chevalier au lion

CHRISTIE
- Dix Petits Nègres

CLAUDEL
- La Petite Fille de Monsieur Linh
- Le Rapport de Brodeck

COELHO
- L'Alchimiste

CONAN DOYLE
- Le Chien des Baskerville

DAI SIJIE
- Balzac et la Petite Tailleuse chinoise

DE GAULLE
- Mémoires de guerre III. Le Salut. 1944-1946

DE VIGAN
- No et moi

DICKER
- La Vérité sur l'affaire Harry Quebert

DIDEROT
- Supplément au Voyage de Bougainville

DUMAS
- Les Trois Mousquetaires

ÉNARD
- Parlez-leur de batailles, de rois et d'éléphants

FERRARI
- Le Sermon sur la chute de Rome

FLAUBERT
- Madame Bovary

FRANK
- Journal d'Anne Frank

FRED VARGAS
- Pars vite et reviens tard

GARY
- La Vie devant soi

GAUDÉ
- La Mort du roi Tsongor
- Le Soleil des Scorta

GAUTIER
- La Morte amoureuse
- Le Capitaine Fracasse

GAVALDA
- 35 kilos d'espoir

GIDE
- Les Faux-Monnayeurs

GIONO
- Le Grand Troupeau
- Le Hussard sur le toit

GIRAUDOUX
- La guerre de Troie n'aura pas lieu

GOLDING
- Sa Majesté des Mouches

GRIMBERT
- Un secret

HEMINGWAY
- Le Vieil Homme et la Mer

HESSEL
- Indignez-vous !

HOMÈRE
- L'Odyssée

HUGO
- Le Dernier Jour d'un condamné
- Les Misérables
- Notre-Dame de Paris

HUXLEY
- Le Meilleur des mondes

IONESCO
- Rhinocéros
- La Cantatrice chauve

JARY
- Ubu roi

JENNI
- L'Art français de la guerre

JOFFO
- Un sac de billes

KAFKA
- La Métamorphose

KEROUAC
- Sur la route

KESSEL
- Le Lion

LARSSON
- Millenium I. Les hommes qui n'aimaient pas les femmes

LE CLÉZIO
- Mondo

LEVI
- Si c'est un homme

LEVY
- Et si c'était vrai...

MAALOUF
- Léon l'Africain

MALRAUX
- La Condition humaine

MARIVAUX
- La Double Inconstance
- Le Jeu de l'amour et du hasard

MARTINEZ
- Du domaine des murmures

MAUPASSANT
- Boule de suif
- Le Horla
- Une vie

MAURIAC
- Le Nœud de vipères

MAURIAC
- Le Sagouin

MÉRIMÉE
- Tamango
- Colomba

MERLE
- La mort est mon métier

MOLIÈRE
- Le Misanthrope
- L'Avare
- Le Bourgeois gentilhomme

MONTAIGNE
- Essais

MORPURGO
- Le Roi Arthur

MUSSET
- Lorenzaccio

MUSSO
- Que serais-je sans toi ?

NOTHOMB
- Stupeur et Tremblements

ORWELL
- La Ferme des animaux
- 1984

PAGNOL
- La Gloire de mon père

PANCOL
- Les Yeux jaunes des crocodiles

PASCAL
- Pensées

PENNAC
- Au bonheur des ogres

POE
- La Chute de la maison Usher

PROUST
- Du côté de chez Swann

QUENEAU
- Zazie dans le métro

QUIGNARD
- Tous les matins du monde

RABELAIS
- Gargantua

RACINE
- Andromaque
- Britannicus
- Phèdre

ROUSSEAU
- Confessions

ROSTAND
- Cyrano de Bergerac

ROWLING
- Harry Potter à l'école des sorciers

SAINT-EXUPÉRY
- Le Petit Prince
- Vol de nuit

SARTRE
- Huis clos
- La Nausée
- Les Mouches

SCHLINK
- Le Liseur

L'éditeur veille à la fiabilité des informations publiées, les-
quelles ne pourraient toutefois engager sa responsabilité.

www.lepetitlitteraire.fr

ISBN version numérique : 978-2-8080-0314-8
ISBN version papier : 978-2-8080-0315-5
Dépôt légal : D/2017/12603/687

Avec la collaboration de Margot Pépin pour l'étude des
personnages d'Henri et Albert Joffo, des parents, ainsi que
pour les chapitres « Le pacte autobiographique », « La
guerre vue et vécue par un enfant » et « Le bonheur de la
Libération ».

Conception numérique : Primento,
le partenaire numérique des éditeurs.

Ce titre a été réalisé avec le soutien de la Fédération
Wallonie-Bruxelles, Service général des Lettres et du Livre.